La cafetería de Chuck

Por Dona Herweck Rice
Ilustrado por Brian Martin

hola

sí

no

sí

no

sí

no

adiós

CERRADO

Créditos de publicación

Rachelle Cracchiolo, M.S.Ed., *Editora comercial*
Nika Fabienke, Ed.D., *Directora de contenido*
Véronique Bos, *Directora creativa*
Shaun Bernadou, *Directora de arte*
Michelle Jovin, M.A., *Editora asociada*
Caroline Gasca, M.S.Ed., *Editora superior*
Jess Johnson, *Diseñadora gráfica*

Créditos de imágenes: Ilustraciones de Brian Martin.

Library of Congress Cataloging-in-Publication Data

Names: Rice, Dona, author. | Martin, Brian (Brian Michael), 1978- illustrator.
Title: La cafetería de Chuck / por Dona Herweck Rice ; ilustrado por Brian Martin.
Other titles: Chuck's diner. Spanish
Description: Huntington Beach, CA : Teacher Created Materials, [2020] | Audience: Grades K-1.
Identifiers: LCCN 2019051861 (print) | LCCN 2019051862 (ebook) | ISBN 9780743927499 (paperback) | ISBN 9780743927642 (ebook)
Subjects: LCSH: Spanish language--Readers. | Diners (Restaurants)--Juvenile fiction.
Classification: LCC PC4115 .R5135 2020 (print) | LCC PC4115 (ebook) | DDC 468.6/2--dc23

TCM Teacher Created Materials
5301 Oceanus Drive
Huntington Beach, CA 92649-1030
www.tcmpub.com

ISBN 978-0-7439-2749-9

Printed in China
Nordica.032020.CA22000023